조민기

역사 덕후, 작가가 되다

역사를 전공하지 않은 역사 작가로 대학에서 문화인류학을 전공했다. 한 시대를 흔들었던 아름다운 인물에 대한 애정을 팬의 마음으로 연재한 칼럼 <꽃미남 중독>이 뜨거운 호응을 받으며 칼럼니스트로 자리매김했고 <외조 - 성공한 여자를 만든 남자의 비결>을 펴내며 작가가 되었다.

역사는 이야기다

잘 알려진 역사의 측면과 이면에 존재하는 숨은 이야기를 찾아서 생생하게 전달하는 역사 스토리텔러이자 역사와 인물에 대한 애정과 관심을 바탕으로 다섯 권의 역사책을 펴낸 베스트셀러 작가이자 강사로 활동하고 있다.

지금까지 펴낸 책

<외조 - 성공한 여자를 만든 남자의 비결> <조선임금잔혹사> <조선의 2인자들> <세계사를 움직인 위대한 여인들> <부처님의 십대제자 - 경전 속 꽃미남 찾기> <그녀는 다시 태어나지 않기로 했다 - 붓다를 만난 여인들> 영화소설 <봄> 창작 그림 동화 <친구를 만나러 왔어요> 육아에세이 <아기 부처 엄마보살> 역사 시리즈 <3분 실록>, <3분 실록 - 권력을 탐하다> 등

한 장면으로 시작하는
조선왕조실록 3

『한 장면으로 시작하는 조선왕조실록』 시리즈

역사를 읽는 새로운 방식, 중요한 역사를 만든 그날의 한 장면부터 시작해 역사 속 인물을 더욱 입체적으로 들여다봅니다. 왕과 신하, 왕비와 궁녀, 충신과 간신, 사랑과 음모, 전쟁과 개혁까지 조선왕조실록이 기록한 그 날을 재현합니다.

『한 장면으로 시작하는 조선왕조실록』의 특징

1. 역사 인물과 사건을 생생하게 묘사한 '그날의 한 장면'으로 역사를 바라봅니다.
2. 정사를 기반으로 이야기를 풀어내어 신뢰할 만한 역사적 해석을 제공합니다.
3. 가볍고 작은 판형으로 언제 어디서나 쉽게 읽고 활용할 수 있습니다.
4. 역사적 사건과 인물을 객관적으로 바라보고 해석할 수 있습니다.
5. 연표와 도표를 통해 등장인물의 관계를 쉽게 파악할 수 있습니다.

『한 장면으로 시작하는 조선왕조실록』 시리즈는 계속됩니다.

'내 너를 투기하게 된 것이 그때부터였던가.'

달이 휘영청 밝은 한 밤이었다. 수양은 말을 천천히 몰며 안평의 무계정사[1]를 떠올렸다. 무계정사는 안평의 고명한 학식

1) 안평대군이 한양의 북문인 창의문彰義門 밖에 세운 정자 겸 서재로 1만권의 장서를 보유하고 있던 당대 최고의 개인 서재이다. 이곳에서 안평대군은 선비 및 예술가들과 시를 지으며 교류하였다.

과 고상한 예술적 취향을 과시하는 상징적인 건축물이었다. 아버지세종의 명으로 성녕숙부태종과 원경왕후 민 씨의 막내아들. 13살의 어린 나이에 홍역으로 요절했다의 양자로 간 안평은 막대한 재산을 물려받았고 그 재산을 바탕으로 부귀함 속에서 예술적 안목과 재주를 키워나갔다. 덕분에 안평은 조선 제일의 시인이자 예술가가 되었다. 내로라하는 선비들도 그와의 교류를 가문의 영광으로 생각했다. 그도 그럴 것이 대국의 사신들조차 조선에 오면 안평의 글씨 한 점을 얻어가려고 안달했으니 그의 명성은 점점 높아졌다. 안평은 정치가보다는 예술가에 가까웠다. 그런데 지금은 김종서와 손을 잡고 친형인 자신을 압박하고 있었다.

'문제는 김종서야.'

수양은 깊은 한숨을 내쉬었다. 김종서는 왜 내가 아니라 안평과 손을 잡았을까? 안평에게는 정치적 야심이 없어 보여서? 아니면 다른 이들처럼 안평에게 인간적으로 끌린 것인가? 수양은 아무 노력 없이도 사람들의 시선과 관심을 독점하고 애정을 받는 안평이 부러웠다. 자신은 안달복달하며 애써서 겨우 가질 수 있는 것들조차 안평에게는 너무 흔하고 하찮은 것이었고 애초에 그는 욕심조차 없는 맑은 성품을 타고났다. 손에 모든 것을 이미 쥐고 있는 사람에게서만 나오는 우아한 여유로움은 안평을 더욱 돋보이게 했다. 또한 그의 주변에는 수양이 아무리 노력해도 얻을 수 없는 수많은 학자와 예술가가 득실거렸다. 그들은 안평과 한 마디라도 나누는 것을 영광으로 생각했고, 안평의 눈길 한 번에 평생의 충성을 맹세하곤 했다.

'하아, 너는 어찌 그런 추앙을 받으면서도 욕심이 없단 말이냐. 한 번 맛을 들이기 시작하면 없던 야심도 솟구치는 것이 권력의 맛이거늘, 내 속에서 꿈틀거리는 역심을 안평이라고 품지 말라는 법이 어디에 있단 말인가?'

승하하신 형님문종을 떠올리자 눈물이 차올랐다. 언제나 자신을 믿어주고 칭찬해주셨던 형님이었다. 만약 형님이 살아

계셨더라면 이런 생각조차 할 필요가 없었을 텐데, 하는 생각이 들자 기분이 울적해졌다. 그러다 다시 원망의 마음이 스멀스멀 고개를 들었다. 마지막 순간, 왜 피붙이인 자신이 아니라 김종서와 집현전 학자들에게 금상단종을 부탁한 것인지. 겉으로는 너 밖에 없노라고 했으면서 속으로는 나를 믿지 않았던 것이로구나 싶어 형님이 원망스러웠다. 하지만 무엇보다 서운한 것은 이제는 너무 멀어진 안평이었다.

"대감, 이제 오십니까?"

어느새 집에 다 온 모양이었다. 방에 들어가자 초조한 표정으로 앉아 있던 권람이 벌떡 일어났다. 오랫동안 기다린 것 같았다. 권람 옆에는 또 다른 한 사내가 있었다. 키는 다른 사람보다 머리 하나는 작은데 머리통은 다른 사람의 두 배는 족히 되어 보였다.

"자네가 와 있었던가? 근데 저이는 또 누구인가?"

"예, 대감. 이 사람은 신의 죽마고우 한명회라 합니다. 대감을 긴히 꼭 뵙고 싶어 하여 늦은 시간인 줄 알면서도 기다리고 있었습니다."

"자, 다들 앉게나."

수양은 권람이 소개한 사내를 가만히 보았다. 머리가 커서 그런지 앉은키는 오히려 우람하고 월등해 보였다. 잘생긴 것과는 거리가 멀었지만 볼수록 신기한 얼

굴이었다. 게다가 수양의 눈빛을 피하지 않고 오히려 재미있다는 듯 마주 보는 것이 담력도 있어 보였다.

"그래, 무슨 일로 나를 보고 싶어 했는가?"

사내는 자세를 고쳐 앉더니 눈을 반짝이며 목소리를 한껏 낮추었다.

"대감, 제가 대감의 꿈을 이뤄드리겠나이다."

세종대왕의 비밀병기, 출중한 왕자들

조선의 제4대 임금이자 성군의 기준을 세운 군주라 할 수 있는 세종에게는 무려 18명의 아들이 있었다. 그중 왕비 소헌왕후가 낳은 아들이 모두 8명이었다. 세종과의 사이에서 무려 10남매, 8남 2녀를 낳은 소헌왕후는 조선 왕실에서 가장 많은 아들을 낳은 왕비이기도 하다. 소헌왕후 소생의 대군들은 하나

같이 재능이 출중하였고 형제간에 우애가 깊어 아버지 세종을 기쁘게 했다.

학문을 사랑하는 '충녕대군' 시절, 세자가 아니라는 이유로 원하는 공부를 마음껏 할 수 없었던 세종은 아들들만큼은 능력을 충분히 발휘할 수 있도록 공부시켰고 관직만 내리지 않았을 뿐 중요한 '나랏일'에도 적극적으로 참여시켰다. 이는 종친은 정치에 참여할 수 없다는 원칙을 깨뜨린 것이었지만 공식적인 업무라기보다는 세종이 진행하는 각종 프로젝트를 보좌하는 업무였기에 크게 문제가 되지는 않았다.

농업, 의학, 과학, 수학, 천문학, 병법, 언어학, 음악, 무용 등 세종의 관심 분야와 그가 진행하는 프로젝트들이 워낙 많아 왕자들은 각자의 적성에 맞는 분야에서 능력을 펼치며 세종과 문종을 보좌했다. 이런 든든한 아들들이 있었기에 세종은 많은 업적을 남길 수 있었고 그래서 세종은 행복한 아버지이자 임금이었다.

세종은 아들들에게 항상 우애를 강조했고 자신도 평생 왕위를 '양보'해 준 두 형, 양녕대군과 효령대군에게 우애를 다했다. 하지만 세종이 승하하자 그가 그토록 강조했던 형제간의 우애는 산산조각 났다. 세종의 아들들은 서로 죽고 죽이는 친족살해의 비극을 되풀이했고 최후의 승자는 수양대군이 차지했다. 세종의 두 형, 양녕대군과 효령대군은 수양대군을 지지하며 그가 단종과 안평대군을 죽이는 것에 찬성하였고 수양대군이 왕위에 오르는 것에 적극적으로 협조했다.

세종은 분명 훌륭한 성군이었고 자식 사랑 또한 각별했는데 왜 이런 비극이 일어난 것일까? 수양대군의 삶을 이해하기 위해서는 먼저 그의 아버지, 세종의 삶을 알아야 한다.

최초의 세자 교체, 양녕대군에서 충녕대군으로

세종의 아버지 태종은 1차 왕자의 난과 2차 왕자의 난을 거치며 무력으로 왕위에 오른 임금이다. 비록 왕위에 오르는 과정에서 유혈사태를 일으

켰으나 임금이 된 후에는 뛰어난 정치력으로 제도를 정비하고 조정을 안정시켜 나갔다. 때로는 비정하게 때로는 온화하게 신하들을 다스렸던 태종은 능수능란하게 조정을 주도하며 강력한 왕권을 구축했다. 하지만 피도 눈물도 없을 것 같은 태종에게 한 가지 치명적인 약점이 있었으니 바로 세자 양녕대군이었다.

무력으로 왕위를 쟁취한 태종은 이후에는 정정당당한 명분을 갖춰 대대손손 왕위가 이어지길 바랐다. 그러기 위해서는 후계자의 정통성에 흠집이 없어야 했다. 그래서 태종은 적장자 양녕대군을 세자로 삼았다. 하지만 태종을 쏙 빼닮은 세자는 어느 순간 아버지의 권위를 위협하기 시작했다. 세자라는 지위를 이용하여 기생을 불러들이고 곽선의 첩 어리를 세자궁에 몰래 데려와 자식까지 낳는 등의 만행을 저질렀고 민가의 아녀자를 함부로 희롱하는 등의 행동으로 태종의 분노를 샀다. 보다 못한 태종은 세자를 불러 타이르기도 하고 혼도 냈지만 별다른 성과가 없었다. 태종은 세자의 거듭되는 비행으로 화가 날 뿐만 아니라 민망하기까지 했다.

양녕대군의 거침없는 행동 이면에는 '자신이 차기 군주가 될 것'이라는 자만이 있었다. 이를 경계한 태종은 선위 파동을 일으켜 왕권을 위협하고 세자를 부추기는 세력을 미리 제거했는데 그들 중에는 세자의 외삼촌들도 있었다. 하지만 태종의 속마음을 제대로 파악하지 못한 일부 세력은 여전히 차기 군주인 양녕대군을 추종하며 그의 비위를 맞춰주었다. 양녕대군은 자신에게 부여된 권력을 즐겼다. 태종이 승하하면 자신이 임금이 될 것이라는 자신감은 양녕대군을 더욱 거만하게 만들었고 미래를 보장받고 싶었던 이들은 세자에게 미리 줄을 대고 아부를 일삼았다. 이를 지켜보던 태종은 마침내 세자의 교체를 결심하고 이를 실행에 옮겼다. 누구보다 적장자의 계승을 염원하던 태종이 이런 결심을 한 것은 실망을 넘어 체념했기 때문이다.

세자 교체는 신중하고 신속하게 진행

되었다. 원하는 여론을 만들어 낼 줄 알았던 태종은 심혈을 기울여 양녕대군의 폐위를 '성군의 자질을 갖춘 동생을 위한 눈물겨운 양보'로 둔갑시켰다. 자질 부족으로 폐위된 양녕대군의 이미지를 아름답게 세탁하고, 새롭게 세자로 책봉되는 충녕대군에게 '성군의 자질을 갖춘 왕자'라는 이미지를 심어주기 위해서였다. 1418년, 세자 양녕대군이 폐위되고 태종의 셋째 아들 충녕대군이 세자로 책봉되었다. 그로부터 두 달 후 태종은 왕위에서 물러났고 세자 충녕대군이 임금으로 즉위했다. 세자의 폐위, 새로운 세자 책봉, 태종의 양위, 세종의 즉위라는 중대한 사건이 거의 동시에 일어난 것이다.

태종의 양위와 세종의 즉위

누구보다 강력한 왕권을 가지고 강력한 국가를 건설하고자 했던 태종이 굳이 '양위'를 하면서까지 이제 막 세자에 책봉된 세종을 임금으로 즉위시킨 것은 그만한 이유가 있었다. 힘과 권위 그리고 상징성까지 두루 갖춘 '상왕'의 지위를 이용하여 성군의 자질이 농후한 세종을 위해 왕권에 위협이 될 만한 요소들을 손수 제거하여 태평성대의 기반을 닦고자 한 것이다. 명나라의 경우 태조 홍무제주원장는 30년간 재위하면서 많은 공신들을 손수 숙청하였고, 제3대 영락제 또한 22년 동안 재위하면서 절대적 왕권을 기반으로 탄탄한 후계 구도를 완성했다. 하지만 조선의 경우 태조의 재위는 7년, 정종의 재위는 2년에 불과하였고 제2대 정종~제4대 세종까지 정상 계승이 아닌 '양위'를 통해 임금으로 즉위했다. 세종이 즉위했을 때 조선은 건국 26년을 맞은 젊은 나라였고, 후계자의 기준은 여전히 모호했다. 이에 태종은 상왕으로 물러나 어수선한 왕실을 재정비하고자 했다.

태종은 외척이 권력을 갖는 것을 극도로 경계했다. 그래서 수족 같던 처남들도 냉정하게 숙청했고, 세자빈을 뽑을 때도 사대부 출신 중에서 권력 기반이 미약한 가문 출신으로 골랐다. 그렇게 선택한 것이 김한로의 딸이었다. 태종과 과거급제

동기였던 김한로는 정치가보다는 학자로서의 기질이 강했고 세자 양녕대군의 장인이 된 후 요직에 임명되었으나 왕권을 전혀 위협하지 않았다. 김한로는 오직 사위의 비위를 맞추는 것에만 신경을 집중했고 양녕대군이 여색을 밝히며 문제를 일으키자 이것이 태종의 귀에 들어가지 않도록 자신의 집을 세자의 밀회 장소로 제공하기도 했다. 이런 노력에도 불구하고 세자 양녕대군이 폐위되자 김한로 역시 죽산으로 부처[2)]되어 양녕대군은 물론 태종과의 인연도 끝났다. 숙청 대상으로

2) 벼슬아치에게 어느 곳을 지정하여 머물러 있게 하던 형벌

삼기에는 김한로의 권력이나 존재감은 매우 낮았다. 하지만 세종의 장인 심온은 달랐다.

심온은 개국 공신 심덕부의 아들로 그의 가문은 누대에 거쳐 왕실과 긴밀한 친인척 관계를 형성했던 당대의 명문가였다. 심온의 남동생 심종은 태조 이성계의 사위로 경신공주[3]의 남편이었고, 심온의 막내 남동생 심정은 공양왕의 조카 사위로 왕우[4]의 딸과 혼인하였다. 또한 심온의 장녀는 태종의 며느리로 충녕대군의

3) 태조 이성계와 신의왕후 한 씨의 둘째딸
4) 고려의 마지막 임금이었던 공양왕의 형. 그의 딸 중 한 명은 무안대군태조 이성계의 7남과 혼인을 하였고 또 다른 딸은 심온의 남동생 심정과 혼인을 하였다.

아내였으며 아들 심준과 심회는 태종의 처남 민무휼[5]의 딸 민 씨 자매를 아내로 맞아 겹사돈 관계를 형성했다. 그러던 중 충녕대군이 즉위하면서 심온은 그야말로 외척의 중심이라고 할 수 있는 왕비의 아버지가 된 것이다. 쟁쟁한 가문의 배경과 능력을 두루 갖춘 심온은 사대부의 존경과 흠모의 대상이었기에 강력한 외척이 될 수 있었다. 이를 미연에 방지하기 위해 태종은 신중하게 계획을 세웠고 신속하게 행동했다.

태종은 세종이 즉위하자 곧바로 심온을 영의정으로 임명하였다. 이는 두 가지

5) 태종의 정비인 원경왕후 민 씨의 남동생

효과가 있었다. 하나는 다른 관리들로 하여 심온을 부러워하게 만든 것이고 다른 하나는 왕비의 친정에 최고의 권력을 부여함으로써 세종에게 힘을 실어준 것이다. 이제 막 마흔을 넘은 영의정 심온의 첫 번째 임무는 세종의 책봉을 승인받기 위해 명나라에 사신으로 가는 것이었다. 심온이 사신단과 함께 출발하자 100명이 넘는 백성들이 환호하며 그를 환송했다. 이 이야기를 들은 태종은 곧바로 다음 계획을 실천한다. 그것은 바로 심온 일가의 숙청이었다.

심온 가계도

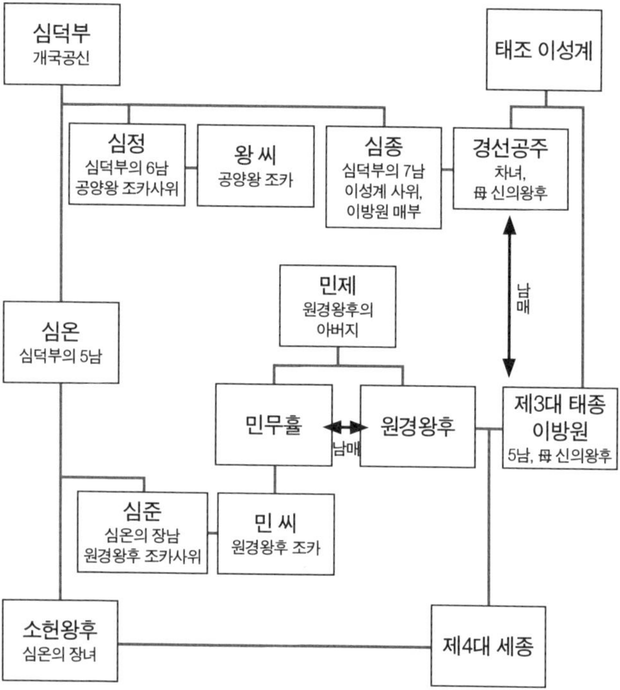
심덕부
개국공신
태조 이성계
심정
심덕부의 6남
공양왕 조카사위
왕 씨
공양왕 조카
심종
심덕부의 7남
이성계 사위,
이방원 매부
경선공주
차녀,
母 신의왕후
남매
민제
원경왕후의
아버지
심온
심덕부의 5남
민무휼
남매
원경왕후
제3대 태종
이방원
5남, 母 신의왕후
심준
심온의 장남
원경왕후 조카사위
민 씨
원경왕후 조카
소헌왕후
심온의 장녀
제4대 세종

세종의 장인, 심온의 몰락

심온이 명나라에 도착했을 무렵, 태종은 느닷없이 '강상인 사건'을 거론하기 시작한다. 강상인은 세종이 즉위할 당시 병조참의로 있었는데 군사 문제에 대한 보고체제를 세종으로 일원화하여 태종의 분노를 샀다. 양위는 했으나 여전히 국정을 주도하고 있던 태종은 강상인의 직첩을 몰수하고 그를 노비로 강등하는 것으로 사건을 마무리했다. 이처럼 이미 해결된 사건을 굳이 뒤늦게 다시 거론한 것은 심온을 연루시키기 위한 태종의 작전이었다.

강상인은 모진 고문 끝에 당시 동지총

제로 있던 심정심온의 남동생과 심온이 연루되어 있다고 자백했고 관련자들은 즉시 전원 사형에 처해졌다. 관련자들이 입을 모은 역모의 수괴는 명나라에 있는 심온이었다. 조선에서 벌어지는 사건을 알지도 못한 상황에서 심온은 명나라에서 귀국하자마자 의금부로 압송되어 혹독한 고문 끝에 죽음을 맞았고 그의 가족들은 노비로 전락했다.

심온이 역모의 수괴로 숙청당할 당시 좌의정이었던 박은은 상왕 태종의 어심을 읽고 이 사건을 주도하여 처리했다. 심온은 어떠한 잘못이나 비리를 저지르지 않았으나 태종이 보기에 그의 높은 신분과 뛰어난 실력과 인품, 가문의 쟁쟁 한 배경

등은 왕권을 위협할 잠재적 위험요소였다. 왕비의 아버지인 심온을 미리 숙청함으로써 장차 외척의 권세가 비대해질 수 있는 일말의 가능성조차 남기지 않는 것이 태종의 계획이었고 박은은 이를 정확하게 알아차린 것이다. 전해지는 이야기에 따르면 이때 심온은 죽기 전 박은을 원망하며 '청송 심 씨' 자손들에게 '반남 박 씨'와는 절대 혼인하지 말 것을 유언으로 남겼다고 한다.

심온이 사사된 후 그의 아내와 자식들은 노비로 강등되었다. 세종은 아버지 태종에 의해 처가가 몰락하는 것을 지켜볼 수밖에 없었고 세종의 왕비 소헌왕후는 두려움에 떨었다. 후환을 염려한 박은 등은 아예 왕비도 폐해야 한다고 주장하였으나 세종은 끝까지 왕비를 지켰다. 심온이 세상을 떠난 후 세종은 궁 안에 불당을 건립하여 장인의 명복을 빌었다. 성리학을 국학으로 삼은 조선에서 임금이 궁 안에 불당을 건립하는 것은 비난의 여지가 있었으나 세종은 개의치 않았고 재위 기간 내내 내불당에서 기도하며 많은 위안을 얻었다. 세종2년1420년 세종의 어머니 원경왕후가, 세종4년1422년 상왕 태종이 세상을 떠났다.

여기서 재미있는 것은 심온의 죽음을 주도했던 박은의 죽음이다. 그는 상왕 태종이 승하하고 정치적인 보복을 당할 가능성이 가장 컸다. 하지만 상왕 태종이 승하하기 하루 전날 눈을 감는 바람에 아무런 처벌도 받지 않았다.

세자문종의 불행한 결혼 생활

세종이 임금으로 즉위했을 때 소헌왕후는 만삭이었다. 얼마 후 그녀는 경복궁에서 셋째 아들 안평대군을 낳았고 이듬해에는 넷째 임영대군이 태어났다. 건강한 왕자들의 탄생은 왕실의 번영을 보여주었다. 세종3년1421년 세종은 장남문종을 세자로 책봉했다. 세종9년1427년, 14살의 세자문종는 김오문의 딸을 세자빈을 맞았다.

세종10년1428년에는, 수양대군[6]12살, 안평대군11살, 임영대군8살이 나란히 '대군'으로 봉해졌다. 같은 해 수양대군은 윤번의 막내딸과 혼인하였다. 세자와 왕자의 연이은 혼인으로 왕실의 기반은 더욱 안정된 것처럼 보였다. 하지만 속사정은 달랐다.

세자는 아내에게 도통 관심이 없었고 세자의 사랑을 갈구한 세자빈은 민간에서 전해지는 각종 비방을 사용하여 남편을 유혹하려다가 실패하였다. 이 이야기는 세종과 소헌왕후의 귀에까지 들어가게 되

6) 수양대군의 봉호는 처음에 '진평'이었는데 그 후 '함평', '진양'으로 개명되었다가 세종27년 최종적으로 '수양'으로 정해진다.

었고 모든 사실을 자백한 세자빈은 혼인 2년만인 세종11년1429년 폐출되었다.

세종은 서둘러 세자에게 어울리는 여자를 찾았다. 한시라도 빨리 새로운 세자빈을 맞아야만 세자도 불행했던 첫 결혼을 잊을 것이고 추문도 잦아질 것이라 생각했기 때문이다. 그리하여 지방 현감으로 있던 봉여의 딸이 세자빈으로 간택되었다. 갑작스럽게 딸이 세자빈이 되면서 봉여의 벼슬은 현감종8품에서 종부시[7] 소윤종2품으로 8등급이나 오르는 특진을 한다. 음보로 관직에 진출했던 봉여로서는

7) 조선시대 때 왕실의 계보족보를 만들고, 왕족의 허물을 살피던 관아

벼락출세였다. 하지만 지방 현감이었던 아버지 밑에서 자유롭게 성장한 세자빈 봉 씨는 궁 안이 답답하기만 했다. 설상가상 세자와의 사이도 소원했다. 세종은 침실의 일까지 가르칠 수는 없는 일이 아니냐며 세자를 볼 때마다 발을 동동 굴렀으나 마음이 가지 않는데 몸이 따라갈 리가 없었다.

가짜 임신 사건과 세자빈 봉 씨의 폐출

왕비와 유난히 금슬이 좋았던 세종으로서는 세자가 세자빈에게 애정을 갖지 않는 것은 난처한 일이었다. 설령 금슬이 좋지 않더라도 세자는 후계자를 낳아야 할 의무가 있었다. 결국 세종은 봉 씨가 세자빈이 된 지 2년이 넘도록 자식이 없자 세자의 후궁[8)]을 발탁한다. 권전의 딸과 정갑손의 딸, 홍심의 딸 3명이 간택되어 입궁했다. 다행히도 세자는 후궁들과 사이가 좋았고 얼마 후 권 씨에게서 딸이 태어났다. 세자의 생산능력을 확인한 세종은 안심할 수 있었다.

하지만 세자빈 봉 씨의 마음은 세종과 달랐다. 남편의 사랑을 후궁에게 빼앗겼다는 슬픔과 자식이 없는 불안함까지 더해지

8) 궁녀는 기본적으로 모두 임금을 위해 존재하는 여인이었기 때문에 위해 '세자의 후궁' 제도는 세종 때 처음으로 법제화되었다. 품계에 따라 양제종2품, 양원종3품, 승휘종4품, 소훈종5품이 있다.

면서 점점 초조해졌다. 권 씨의 임신 소식을 들은 세자빈이 대성통곡을 했다는 이야기에 세종과 소헌왕후의 마음도 편치 않았다. 세종은 세자를 따로 불러 비록 후궁이 있어도 세자빈에게서 아들을 낳는 것보다 종사에 귀한 일은 없다고 강조했다. 이에 세자는 세자빈의 처소를 찾았다. 하지만 세자의 사랑을 다시 빼앗길지도 모른다는 불안함 때문이었을까. 세자빈은 확인도 하지 않은 채 임신했다고 발표했다.

세자빈의 임신 소식을 들은 세종과 소헌왕후는 기쁨을 감추지 못했다. 하지만 이는 거짓말이었고 시간이 흘러도 세자빈의 배는 부풀어 오르지 않았다. 그러자 세자빈은 유산을 했다고 둘러댔다. 임신과 유산이 모두 거짓이라는 것이 밝혀지면서 세종과 소헌왕후는 크게 실망하였고 세자의 애정은 싸늘하게 식었다. 사랑받지 못한 우울함과 외로움을 달래기 위해 세자빈은 술을 마시기 시작했다. 세자의 후궁들을 볼 때면 그는 속이 뒤집혔고 그런 날이면 신세 한탄을 하거나 눈물을 흘리며 과음을 하는 일이 잦아졌다. 결국 세자빈 봉 씨는 세종18년1436년 행실이 바르지 못하고 아이가 없다는 이유로 폐출되었다.

원손단종의 탄생과 세자빈 권 씨의 죽음

세자의 혼인이 두 번이나 파탄이 나자 세종의 근심은 이만저

만이 아니었다. 참으로 아내 복이 없는 세자였다. 세종과 세자가 평범한 아버지와 아들이었다면 이제는 마음에 드는 여인을 만나라고 했을지도 모른다. 하지만 세종은 임금이었고 세자문종는 세종의 뒤를 이어 왕위에 오를 국본이었다. 따라서 종사를 계승할 원손[9)]을 얻기 위해서라도 세자빈의 자리를 마냥 비워둘 수는 없었다. 세종은 간택으로 새로운 처녀를 뽑는 것과 세자의 후궁 중 한 사람을 세자빈으로 승격시키는 것 사이에서 고민했다. 건국 이후 후궁이 정비왕비 혹은 세자빈가 된 적이 한 번도 없었기 때문이다. 세종은 신

9) 세자와 세자빈의 장남

하들과 머리를 맞대고 역사책을 뒤져 후궁을 정비로 삼았던 '전례'를 찾기 시작했다. 책벌레 군주였던 세종다운 행동이었다. 그리고 마침내 송나라 진종황제가 후궁을 황후로 삼았던 사례를 찾아냈다. 이를 근거로 세종19년1437년, 2월 세자의 후궁 권 씨가 세자빈으로 정식 책봉되었다.

> 첩을 아내로 만드는 일은 옛날 사람이 경계한 바이며, 더군다나 우리 조종의 가법에도 이런 예가 없었던 까닭에 그 일을 중대하게 여겨 윤허하지 않았다. 그러나 지금에 이르도록 서울과 지방에서 널리 물색하였으나 적임자를 얻지

못했으니, 차라리 대신의 말을 따르겠다.

〈세종실록〉 18년 12월 28일

권 씨는 후궁 출신이라는 것이 무색할 만큼 세자빈으로서 모범적인 모습을 보여주었다. 왕실의 규범과 법도를 가지런하게 지켰으며 시부모에게는 공손하였고, 아랫사람들에게는 온화하였다. 무엇보다 세자와의 사이가 원만하였다. 불미스러운 사건들로 바람 잘 날 없던 동궁전[10]에 비로소 화목한 웃음꽃이 피어났다. 세종23년1441년, 권 씨는 세자문종의 첫아들

10) 세자의 처소

이자 유일한 아들이 되는 원손단종을 낳았다. 하지만 기쁨도 잠시, 원손단종이 탄생한 바로 다음 날 세자빈은 세상을 떠나고 말았다. 그 후 세자는 죽는 날까지 정비의 자리를 비워두었다.

왕자들의 죽음과 소헌왕후의 병환

유년 시절부터 운동을 싫어하고 육식을 즐겼던 세종은 즉위 후 계속되는 과로로 인하여 마흔 살 무렵에는 안질눈병, 소갈증당뇨병, 종기, 풍질풍 등 여러 가지 질병에 시달렸다. 이에 세종은 세자문종에게 양위하고자 했으나 신하들은 '임금이 둘이 되면 조정도 둘로 분

열된다'라며 결사반대로 맞섰다. 결국 양위에 대한 타협안으로 세종24년1442 세자 문종이 거처하는 동궁에 첨사원[11]을 설치하였다. 세자의 대리청정이 공식화 된 것이다.

세자에게 정무를 맡긴 세종은 훈민정음의 창제에 매달렸다. 세종25년1443년 훈민정음이 만들어졌고, 3년 동안 수정과 보완을 거쳐 완성된 훈민정음은 세종28년1445년 정식으로 반포되었다. 훈민정음이 창제되어 반포되는 동안 세종은 개인

11) 중국 황실에서 태자의 정무를 돕는 '첨사부'를 근거로 세종24년 동궁전에 설치된 특별부서. 세자가 정무 처결할 때 이를 보좌하기 위한 목적으로 설치된 기관이다.

적인 아픔을 겪는다. 세종26년1444년에 광평대군5남이, 세종27년1445년에 평원대군7남이 스무 살 전후의 젊은 나이로 요절한 것이다. 연달아 아들들을 잃은 슬픔 때문이었을까. 세종28년1446년 왕비 소헌왕후가 병석에 누웠다.

세종은 죄인을 사면하고 세자문종를 비롯한 여러 아들들과 함께 명산대찰에 기도를 드리며 왕비의 쾌유를 기원했으나 소헌왕후는 회복될 기미가 없었다. 그러자 세종은 지푸라기라도 잡는 심정으로 승려 49명을 모아서 정근 기도를 올렸는데 이때 소헌왕후가 요양을 위해 머문 곳은 경복궁이 아닌 수양대군의 집이었다.

수양대군의 집에서
승하한 소헌왕후

첫 번째 이유는 당시의 집이 아닌 곳에서 요양해야 병이 낫는다는 관습[12)] 때문이었다. 두 번째 이유는 신앙 때문이었다. 조선의 통치이념은 성리학이었지만 세종은 경복궁 안에 내불당을 건립하기도 했던 불자였다. 하지만 조정의 공식적인 방침은 '숭유억불'이었기 때문에 불교와 관련된 행동에는 제약이 많았고 신하들과 마찰이 있었다. 그래서 세종은 신앙이 필요할 때면 궁이 아닌

12) 피접. 사람이 병이 들어 약을 써도 효험이 없거나 병의 원인이 분명하지 않을 때, 살던 집을 피하여 다른 곳으로 옮겨 요양하던 풍습

수양대군이나 안평대군의 집을 이용하는 등 우회적인 방법을 사용하곤 했다. 그중에서도 수양대군은 불심이 깊었고 세종의 명을 받아 〈석보상절〉 등 한글 불경을 간행하기도 했다.

세 번째 이유는 아마도 수양대군의 집이 소헌왕후에게 가장 편했기 때문일 것이다. 당시 소헌왕후뿐 아니라 세종과 세자문종도 건강이 좋지 않았다. 과중한 업무와 지병에 시달리는 세종과 세자문종에게 근심을 보태는 것보다 화목하게 지내는 아들과 며느리의 보살핌을 받을 수 있는 곳이 소헌왕후로서는 마음이 놓였을 것이다. 이러한 노력에도 불구하고 세종28년1446년 소헌왕후는 결국 병환을

이기지 못한 채 수양대군의 집에서 눈을 감았다.

세종과 문종의 연이은 승하와 김종서의 독주

소헌왕후 승하 후 세종은 불교에 심취하여 신하들과 갈등을 빚기도 했다. 하지만 그것도 잠시였다. 1451년, 세종의 건강은 돌이킬 수 없을 정도로 악화되었다. 세종은 눈을 감기 전 믿을만한 정승 황희에게 세자문종와 세손단종을 부탁하고자 했다. 하지만 세종31년1449년에, 고령을 이유로 은퇴한 황희는 이미 아흔에 가까운 노인이었다. 세종은 평안도 절제사로 나가 있던 김종서를 불렀으나 그가 도착하기 전 영응대군8남의 집에서 승하하였다.

김종서가 한양에 도착한 것은 세종이 승하한 후 6일이 지나서였다. 김종서에 대한 세종의 신뢰를 잘 알았던 문종은 즉위 후 김종서를 우의정으로 임명하였고, 건강이 악화되자 그에게 잠시 섭정을 맡기기도 하였다. 무려 29년을 세자로 지내면서 준비된 성군의 모습을 보였던 문종의 치세는 너무나 짧았다. 수시로 집현전 출신 관리들에게 세자를 잘 보필해달라고 당부했던 문종은 1452년 우의정 김종서에게 세자단종를 부탁한다는 유언을 남기고 세상을 떠났다.

문종의 뒤를 이어 12살의 어린 나이로

즉위한 단종은 고명대신 김종서를 좌의정으로 임명했다. 김종서는 자신에게 주어진 모든 권력을 동원하여 어린 단종의 보호자를 자처하였고 조정의 모든 정무는 김종서를 통해 진행되었다. 정무의 대부분을 의정부 정승들의 손에 맡긴 단종은 국왕 고유의 권한인 '인사권'까지 김종서에게 일임하였는데 이때 김종서는 '황표정사'를 실시하여 지탄받았다.

당시 조선에서는 이조와 병조에서 올린 후보자를 3명씩 추천하면 임금이 한 명을 선발하는 방식이었다. 이때 김종서는 미리 선정된 후보의 이름에 황색 종이를 붙여 단종에게 올렸고 단종이 김종서가 골라준, 황색 종이가 붙어있는 후보자에게 관직을 제수한 것이다. 임금의 인사권까지 대신한 좌의정 김종서의 권력은 그야말로 무소불위였다.

김종서가 강력한 권력을 지닐 수 있었던 것은 단종의 '보호자'라는 명분이 있었기 때문이다. 과거 정도전이 그랬던 것처럼 신하 한 명의 힘이 임금을 능가하는 상황에 대하여 비판적인 시선을 보내는 이들도 많았다. 그 중 대표적인 인물이 수양대군이었다. 하지만 김종서를 지지하는 종친 세력 또한 만만치 않았다. 세종의 아들 중 가장 막대한 재산과 인맥을 가진 안평대군은 김종서의 편에 섰다.

출중한 예술적 재능을 타고난 안평대군은 정치적 감각도 뛰어났으나 전면에 나

제3대 태종~제7대 세조 왕위 계승도

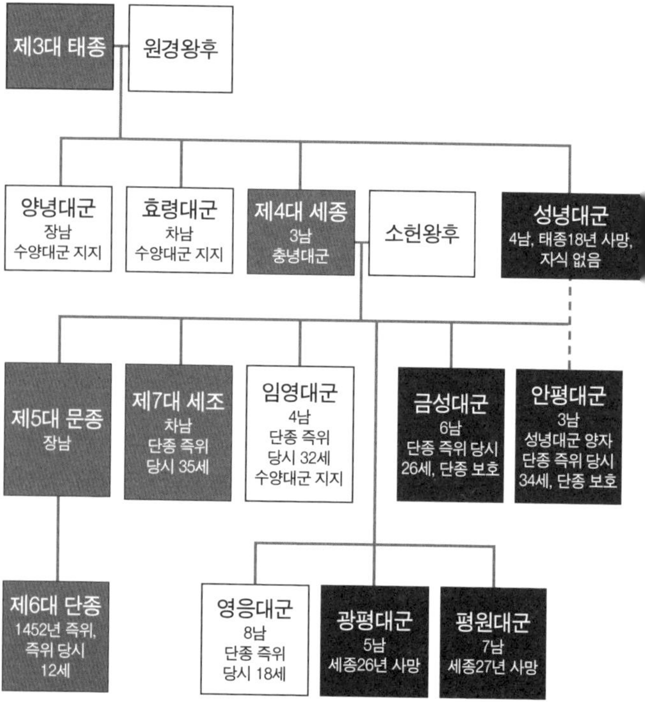

서지는 않았다. 그는 일찌감치 성녕대군[13]의 양자로 입적되어 그의 엄청난 재산을 물려받았는데 이를 바탕으로 예술품들을 수집하며 많은 문인과 교류하였다.

친親수양대군 세력

안평대군과 달리 수양대군은 정치 전반에 나서고 싶었고 나아가 왕위에 오르고자 하는 야망도 있었다.

> 13) 태종과 원경왕후의 막내아들로 태종의 각별한 사랑을 받으며 많은 재산을 하사받았다. 하지만 홍역으로 어린 나이에 요절하는 바람에 자식을 남기지 못했다. 세종은 즉위 후 안평대군을 성녕대군의 양자로 입적시켜 대를 잇도록 했다.

하지만 안평대군과 손을 잡고 단종 보호를 내세운 김종서로 인하여 좀처럼 기회가 없었다. 그는 차근차근 자신의 사람을 모았다.

수양대군의 장점은 화목한 부부관계였다. 수양대군의 부인 윤 씨정희왕후는 2남8녀 중 막내로 원래 수양대군의 아내로 내정된 것은 그녀의 언니였다. 〈송와잡설〉에 따르면 윤 씨는 그녀의 언니를 선보기 위해 궁에서 상궁이 왔을 때 당찬 모습을 보여 수양대군의 아내로 낙점되었다고 한다. 언니에게 들어온 혼처를 빼앗아 왕실의 며느리 자리를 차지했을 때 윤 씨의 나이는 고작 10살에 불과했다. 이처럼 갖고 싶은 것은 꼭 쟁취하고야 마는 윤 씨는 원하는 것을 갖기 위해서라면 수단과 방법을 가리지 않는 성격의 수양대군과 그야말로 천생연분이었다. 남편 못지않은 야심가였던 윤 씨는 단종의 왕위를 탐내는 그를 적극적으로 지지했다.

윤 씨의 지지는 수양대군에게 큰 힘이 되었지만 그의 계획이 명분을 얻기 위해서는 다른 종친들의 동참이 필요했다. 처음부터 수양대군에게 협력한 인물은 임영대군세종의 4남이다. 임영대군의 첫 번째 부인은 남지의 딸이었는데 혼인하고 보니 정신지체장애가 있었다. 결국 이혼을 하긴 했으나 고작 10대 초반이었던 임영대군에게 첫 결혼은 매우 큰 충격이었다. 또한 그는 세종의 눈 밖에 나서 작위가 박탈된 적도 있는 문제아였다. 하지만 수양대군이 그가 상처를 받을 때마다 위로와 함께 다독여주었기에 임영대군은 수양대군에게 우호적이었다.

반면 영응대군은 수양대군이 마음을 얻기 위해 부단한 노력을 기울인 인물이었다. 영응대군은 세종이 나이 마흔이 다 되어 얻은 늦둥이로 각별한 총애를 받았다. 세종은 그가 궁 밖으로 나갈 나이가 되자 '동별궁'을 하사하였는데 규모가 지나치다는 비판을 받을 정도였다. 영응대군이 궁 밖에서 살게 되자 세종은 수시로 방문하였고 결국 그곳에서 세상을 떠났다. 승하하기 전 세종은 영응대군에게 왕실의 많은 보물과 재산을 하사하였고 덕

영응대군 가계도

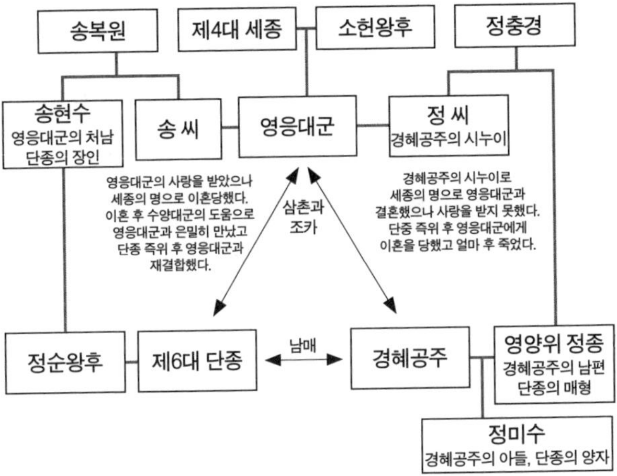

분에 그는 어린 나이에 큰 부자가 되었다. 하지만 그에게도 아쉬운 것이 있었으니 바로 가정의 화목이었다.

영응대군은 처음에 송현수의 누이동생

을 아내로 맞았는데 세종에 명에 따라 그녀와 이혼하고 정충경의 딸단종의 누나인 경혜공주의 시누이과 재혼하였다. 세종은 영응대군이 단종의 후원자가 되어주길 바랐지만, 영응대군은 이혼한 첫 아내 송 씨를 잊지 못해 그리워하였다. 이를 눈치챈 수양대군은 송현수의 집에 드나들 때마다 영응대군을 데리고 다니며 그와 송 씨 부인이 몰래 만날 수 있도록 주선해주었고 단종이 즉위하자 재혼한 정 씨 부인을 폐출시키고 송 씨 부인을 다시 아내로 맞도록 허락을 받아주었다.

수양대군 덕분에 사랑하는 아내와 재결합할 수 있게 된 영응대군은 세종의 바람과는 정반대로 수양대군을 지지했다.

영응대군의 재력은 수양대군에게 큰 힘이 되었다. 세종의 아들들은 가정적인 불행을 겪은 경우가 많았는데 유독 수양대군만은 아내와 금슬이 좋았고, 덕분에 수양대군은 가정사의 아픔을 지닌 동생들을 다독이면서 자신의 편으로 만들 수 있었다. 수양대군의 이복동생인 신빈 김 씨의 아들들도 그의 편에 섰다.

세종의 총신,
신숙주의 마음을 얻다

수양대군의 편에 선 사람 중 의외의 인물 두 명이 있었다. 바로 신숙주와 정인지이다. 세종과 문종의 신뢰를 듬뿍 받았고 이미 탄탄한 출세가도를 달리고 있던 신숙주와 정인지는 왜 단종을 배반하고 수양대군의 편에 선 것일까?

두 사람 중 수양대군과 먼저 손을 잡은 것은 신숙주였다. 신숙주는 '윤회'의 제자이자 손녀사위였는데 윤회는 하륜의 제자였다. 1차 왕자의 난을 계획하고 2차 왕자의 난을 진압하여 이방원의 즉위를 돕고 그가 왕위에 오르자 다양한 정책과 개혁을 이끌었던 하륜은 권력의 흐름을 한발 먼저 읽고, 시대의 흐름을 주도한 경세가였다. 신숙주는 스승이자 처조부인 윤회를 통해 하륜의 처세술에 영향을 받은 것으로 보인다. 하지만 그것이 전부는 아니었다. 신숙주 똑똑할 뿐 아니라 꼼꼼한 사람이었다. 수양대군의 편에 서기 전 신숙주는 수양대군의 '그릇'을 확인할 기회가 있었고 그를 꼼꼼하게 파악한 후에 마음을 정했다. 신숙주의 마음을 얻은 것은 수양대군에게 날개를 달아준 것과 같았다.

수양대군이 신숙주에게 자신의 야망을 드러낸 것은 함께 명나라에 사신으로 다녀오면서였다. 이 사행길에서 수양대군은 신숙주를 성공적으로 자신의 편으로 만들었고 이것은 그의 운명을 바꾸는 데 결정적 역할을 했다. 신숙주가 수양대군의 편에 선 것은 당시 조정의 상황에 대한 불안과 불만 때문이었다. 문종은 재위 당시 집현전 출신 학자들을 고위직으로 등용하였다. 하지만 단종이 즉위하자 김종서가 '황표정사'를 통해 인사권을 장악하면서 집현전 출신 관리들은 점차 출세에서 제외되었고 예전처럼 임금과 자유롭게 학문을 논하거나 정책을 논의하면서 대화를 할 수 있는 기회도 줄어들었다. 신숙주는 이러한 상황에 불만을 가지고 있었다. 또한 김종서의 독주에 가장 큰 불만은 품은 사람이 바로 정인지였다.

오만한 실력자들의 갈등, 김종서 vs 정인지

당시 김종서는 조정의 실권을 장악한 좌의정이었고 정인지는 이조판서였다. 육조에서 손꼽히는 이조의 막강한 힘은 인재의 천거와 추천이라는 고유의 권한에 있었다. 이는 곧 인사와 직결되었기에 이조는 군권을 가진 병조와 함께 육조에서 으뜸가는 위상을 가지고 있었다. 그러나 김종서의 황표정사로 인하여 이조의 기능은 유명무실해졌고 이에 이조판서 정인지는 불만을 품게 되었다. 게다가 단종을 보좌한다는 명분으로 의정부 서사제[14)]가 도입되어 실제로

14) 왕권의 지나치게 커지는 것을 견제하기 위해서 만든 제도로서 육조에서 올라온 보고 내용을 의정부의 3정승영의정, 좌의정, 우의정이 먼저 확인한 후 결정된 내용만 임금에게 전달하고 임금의 답변 또한 의정부에서 육조로 전달하는 제도를 뜻한다. 태조 이성계는 정도전의 의견을 반영하여 의정부 서사제를 적극 도입하였으나 태종 이방원은 정승의 권력이 임금보다 강해지는 것을 견제하기 위해 육조에서 임금에게 직접 보고를 올릴 수 있는 육조 직계제로 제도를 바꾸었다.

육조의 판서들은 실권이 없었다. 무엇보다 정인지는 김종서와 개인적으로 껄끄러운 사이였다.

세종 시절 김종서는 동북면에 6진을 개척하는 일 때문에 어머니의 3년 상을 다 채우지 못했고 아내가 병이 들었을 때도 고향에 내려가지 못했다. 국방이 우선이라는 세종의 특별한 어명 때문이었다. 세종은 '관리가 고달파야 나라가 편안하다'는 가치관을 지닌 임금이었다. 그래서 세종의 시대에는 그의 총애를 받을 수록 과중한 업무에 시달린 신하들이 많았다. 그중에서도 김종서는 세종으로부터 으뜸가는 총애를 받으며 국경을 지키고 있었다.

김종서에게 가정을 돌볼 시간을 주지

않았던 세종은 그를 위로하기 위해 김종서의 부인에게 생선과 고기를 지급하라고 명했다. 그런데 세종의 명에도 불구하고 충청도 관찰사는 이를 지급하지 않았다. 이에 세종은 직접 생선과 고기를 보내 김종서의 부인에게 지급하라는 어명을 내렸다. 이때 세종의 어명을 어기면서 김종서의 부인에게 생선과 고기를 지급하지 않았던 충청도 관찰사가 바로 정인지였다. 이 사건을 알게 된 후 김종서는 정인지에 대한 감정이 곱지 않을 수밖에 없었다. 그 후 세종이 승하한 후 북방에서 돌아온 김종서는 문종의 명으로 〈고려사〉와 〈고려사절요〉를 편찬하는 과정에서도 정인지와 갈등을 빚었다.

뿌리 깊은 두 사람의 대립은 단종의 즉위와 함께 김종서의 승리로 끝났다. 김종서의 독주가 계속되는 한 정인지의 출세는 기약하기 어려운 상황이었다. 정인지의 사정을 잘 알았던 신숙주는 수양대군에게 '거사에 협력할 만한 인물'로 그를 소개하였고 수양대군은 두 팔 벌려 정인지를 환영했다. 세종 시절 집현전의 수장이었으며 현직 중앙 관리로서 거사에 도움을 줄 수 있는 신숙주와 정인지가 합류하면서 수양대군의 계획은 한층 구체화 될 수 있었다. 이제 필요한 것은 행동대장을 맡아줄 무사들이었다. 수양대군의 책사로 있던 한명회는 한때 함께 경덕궁의 문지기로 근무했던 무사 홍달손을 비롯한

30여 명의 장사들을 모았고 이들을 훈련하며 차근차근 거사를 준비해 나갔다. 그런데 예상치 못한 문제가 발생했다.

계유정난,
권력의 장악

단종1년1456년 10월 2일, 한명회의 친구였던 권람이 수양대군을 찾아와 김종서와 안평대군을 제거하려는 계획이 누설되었음을 알려주었다. 이미 궁에서는 수양대군의 처벌이 논의중이었다. 논의가 끝나 적절한 처벌이 확정되어 발표되기까지는 며칠 정도 걸리니 이야기를 들은 한명회는 선제공격밖에 없다고 생각했다. 이미 김종서가 수양대군의 계획을 알아차린 이상 기회는 단 한 번밖에 없었다. 만약 선제공격에 실패한다면 역모죄가 확정되어 모두 처형될 것이었으나 선제공격을 하지 않는다면 실패의 기회조차 사라질 것이 분명했다. 거사를 미룬다 해도 후일을 도모하여 반격하는 것은 아예 불가능했다.

10월 10일, 밤늦도록 장정들과 어울려 마당에서 술을 마시고 활을 쏘던 수양대군은 시간이 되자 자리에서 일어났다. 부인 윤 씨가 손수 그에게 갑옷을 입혀주었고 옷 안에 철퇴를 감춘 노비 1명과 장정 1명이 수양대군의 뒤를 따랐다. 세 사람은 김종서의 집으로 갔다. 늦은 밤 갑자기 자신을 찾아온 수양대군을 본 김종서는 이상한 낌새를 느꼈다. 하지만 수행 인원을 2명만 데려온 것을 보아 다른 마음이 있어 보이지는 않았다. 수양대군이 영응대군의 일로 중요한 부탁이 있다고 한 통의 서찰을 김종서에게 건넸다. 김종서가 집 안으로 들어오라고 권하자 수양대군은 극구 사양한 채 서찰을 읽어보라고 재촉했다. 김종서가 서찰을 읽기 위해 잠시 수양대군에게 눈을 뗀 순간 노비 임어을운이 철퇴로 그를 내리쳤다. 김종서의 비명을 듣고 달려 나온 그의 아들 김승규도 철퇴를 맞고 쓰러졌다.

김종서가 쓰러진 것을 확인한 수양대군은 피가 묻은 옷을 그대로 입고 단종이 있는 양덕방으로 향했다. 양덕방은 궁궐과

가까운 북촌 중에서도 고관대작들이 모여 살고 있는 고급 주택가로 바로 이곳에 경혜공주와 영양위 정종 부부의 집이 있었다. 단종은 적막한 궁궐을 견디기가 힘들어 누나 경혜공주의 집에서 자주 머물곤 했는데 이때는 경혜공주의 집을 시좌소[15]로 삼고 아예 거처를 옮긴 상황이었다.

온몸에 피를 묻힌 채 달려온 수양대군은 김종서가 안평대군과 함께 역모를 꾀했으며 자신이 김종서를 처단했다고 고했다. 이어서 수양대군은 역모에 가담한 이들의 명단을 밝혔는데 이들은 모두 문종의 고명을 받은 신하들이었다. 단종은

15) 임금이 임시로 지내던 궁전

그의 말을 믿지 못하겠다며 고개를 저었으나 수양대군은 지금 당장 신하들을 소집해야 한다고 윽박질렀다. 단종이 왕명을 내리는 것을 거부하자 수양대군은 '모든 일은 신이 알아서 처리하겠다'며 왕명을 내세워 당상관 이상의 고관들을 모두 입궐하게 하였다.

한밤중에 왕명이라는 소리에 놀라 부랴부랴 관복으로 갈아입고 경혜공주의 집으로 달려온 대신들은 한명회의 살생부에 따라 그 자리에서 생사가 결정되었다. 이날 밤새 척살된 사람은 좌의정 김종서와 그의 아들들, 영의정 황보인과 그의 아들들 그리고 갓난 아기였던 손자를 비롯하여 수십 명이 넘었다. 이날의 참사를 말해주는 것이 바로 '재동'이라는 지명인데 이날 밤, 흘러넘친 핏자국과 피비린내를 지우기 위해 뿌린 재가 하도 자욱하여 '재동'이라는 말이 유래되었다고 한다.

단종이 즉위하고 바로 이듬해 일어난 이 사건이 바로 '계유정난'이다. 역모의 수괴로 지목된 안평대군은 아들과 함께 다음 날 강화도로 유배되고 열흘 뒤 그곳에서 사약을 받고 서른네 살의 젊은 나이로 세상을 떠났다. 계유정난은 1차 왕자의 난이나 2차 왕자의 난보다 과정과 결과가 훨씬 잔혹했고 희생자도 훨씬 많았다.

임금을 협박하고 충신과 왕자를 죽인 '고마운 숙부' 수양대군

"마침내 고마운 숙부가 영단을 내리어 뛰어난 계략과 의로운 용기로써 분발하여 시각을 지체하지 않고 한번에 쓸어 없애 버렸다. 숙부가 아니었다면 나에게 어찌 오늘이 있을 수 있겠는가! 이에 그 충정을 생각하여 장상의 직위를 맡게 하노라.

내가 이제 마음 놓고 온갖 일을 위임하노니 경은 힘을 기울여 충성을 다하고 국가를 반석 위에

올려놓아 편안하게 하고 군사를 쓰지 아니하고도 백성에게 태평의 낙을 누리도록 하라. 실로 경은 나의 외로운 몸을 부탁하고 어려운 나라를 부탁할 수 있는 중신이라 믿노라."

단종2년 1월 24일

친동생인 안평대군을 죽이면서까지 자신을 방해할 모든 세력을 일시에 참혹하게 제거한 수양대군은 거칠 것이 없었다. 수양대군은 단종을 협박하여 정난을 정당화할 교지를 내리게 하고 공신 책봉을 주장했다. 자신을 보호해줄 세력이 한 사람도 남지 않은 조정에서 공포에 질린 단종은 수양대군을 비롯하여 정난에 동참한 43명을 공신으로 봉하고 관직과 함께 영토, 노비 등의 하사품을 내렸다. 이때 정난공신 1등으로 봉해진 첫 번째 인물은 수양대군이었고, 두 번째는 정인지였다. 계유정난 이후 수양대군은 스스로 영의정부사, 이조판서, 병조판서, 내외병마통도사를 겸임하며 조정의 실권을 장악했다. 최초의 종친 출신 영의정이 탄생한 것이다. 또한 자신의 심복인 한명회와 신숙주를 임금의 비서격인 승정원 관리로 임명해 단종의 일거수일투족을 감시하도록 했다. 그런데 예상치 못한 복병이 등장했다. 내명부를 장악한 혜빈 양 씨가 수양대군에 맞서 단종을 필사적으로 보호하고 있었던 것이다.

미성년의 임금이 왕위에 오르면 임금의 어머니 혹은 선왕의 부인인 '대비'가 수렴청정을 하는 것이 법도였는데 문제는 즉위 당시 단종이 고아였다는 것이다. 어머니 현덕왕후는 세자빈 시절 단종을 낳고 곧바로 세상을 떠났고 아버지 문종은 그 후 왕비를 두지 않았다. 할머니 소헌왕후 또한 세종보다 먼저 세상을 떠났기에 왕실에는 수렴청정을 할 만한 지위와 자격을 갖춘 어른이 한 사람도 없었다. 이에 의정부에서는 약간의 논의 끝에 세종의 후궁 혜빈 양 씨에게 궁으로 돌아와 단종을 보살피도록 요청했다.

혜빈 양 씨는 태어나자마자 어머니를

잃은 단종을 갓난아기 때부터 아들처럼 기른 여인으로 신분은 서庶조모였지만 실질적으로 어머니 같은 존재였다. 그녀가 궁으로 돌아오자 단종은 안심하며 좋아하였고 혜빈 양 씨는 대비의 역할을 하며 내명부를 주도했다. 계유정난 직후 궁궐에는 공포가 전염병처럼 번졌지만 혜빈 양 씨는 굳건하게 단종을 지켰다. 그녀가 있는 한 왕위를 빼앗는 것은 쉽지 않다고 느낀 수양대군은 단종의 혼사를 서둘러 추진했다. 단종이 왕비를 맞게 되면 '선왕의 후궁'에 불과한 혜빈 양 씨가 궁 안에 설 곳은 없기 때문이었다.

단종의 양위, 왕위를 위한 마지막 절차

문종의 국상이 끝나지 않은 상황에서 단종의 혼례를 위한 왕비 간택령이 떨어졌다. 영의정 수양대군의 명이었다. 수양대군의 명을 받들어 왕비의 간택을 주관한 왕실 어른은 세종의 둘째 형, 효령대군이었다. 형식적인 간택 끝에 왕비로 낙점된 이는 송현수의 딸이었다. 왕비 간택이 확정되자 수양대군은 최종 간택에서 떨어진 두 명도 단종의 후궁으로 봉했다. 계유정난의 충격이 가시지도 않은 상황에서 왕비를 맞은 단종은 수양대군에 의해 또 한 번 공포와 고통을 겪었다.

단종3년1455년 윤 6월 11일, 수양대군은 혜빈 양 씨와 그녀의 아들인 한남군과 영풍군을 비롯하여 금성대군과 단종의 매형 정종 등이 역모를 일으키려 했다는 이유로 유배를 보냈다. 계유정난 직후 역모죄로 유배된 안평대군이 사사된 것을 기억한 단종은 두려움에 떨었다. 자신을 보호하려고 했던 사람들이 더 이상 수양대군의 손에 죽는 것을 원치 않았던 단종은 그날 바로 양위를 선언했다. 수양대군의 뜻대로 왕위에서 물러난다면 더 이상 죽는 사람은 없을 것이라는 가냘픈 희망에 기댄 선택이었다.

경회루로 수양대군을 부른 단종은 예방승지였던 성삼문을 통해 대보옥새를 전달하고 임금의 지위에서 물러난다. 양위가 결정되자 대보를 들고 오던 박팽년은 비통함을 참을 수 없어 연못에 몸을 던지려 했으나 성삼문은 단종이 살아계시는 한 후일을 도모해야 한다고 만류했다. 하지만 성삼문 역시 참담하기는 마찬가지였다. 경회루에 오른 성삼문이 차마 대보를 건네지 못한 채 통곡하자 수양대군은 매서운 눈으로 그를 노려보았다고 한다. 짐짓 사양하는 척 하던 수양대군은 이내 단종의 결정을 받아들였고 그 자리에서 조선의 제7대 임금으로 즉위하였다. 세종의 '둘째 아들'로 태어났다는 이유로 쳇바퀴처럼 왕위의 주변부만 맴돌던 수양대군이 마침내 왕위를 차지한 것이다.

계유정난의 의미와 파장

계유정난 당시 수양대군은 수많은 관리를 일시에 척살하며 역사의 흐름을 완전히 뒤바꿔놓았다. 만약 수양대군이 단종을 보좌하는 길을 선택했더라도 그는 영예로운 삶을 살아갈 수 있었을 것이다. 하지만 왕위에 오르기 위해 수양대군은 천륜을 거슬렀고, 양심을 버렸다. 대신 그는 자신의 욕망을 위해 목숨을 걸었다. 만약 계유정난의 밤, 김종서를 죽이지 않았더라면 수양대군이 목숨을 잃었을 수도 있다. 하지만 수양대군은 정난에 성공했고 단종의 왕위를 빼앗는 것에도 성공했다. 드디어 염원하던 왕위에 올랐지만, 수양대군이 지불해야 하는 대가는 컸다. 세종과 문종처럼 성군이 되고 싶었던 수양대군의 꿈은 이루어지지 못했다.

세종과 문종의 충신들은 반역자를 처단해 단종의 원수를 갚겠다며 수양대군을 죽이려다 번번이 실패했고 그때마다 수양대군은 그의 손으로 충신을 죽여 목숨과 왕위를 부지했다. 그 결과 수양대군의 곁에는 그에게 아부하여 부귀영화를 추구하는 신하들만 남았다. 충신이 없는 시대를 만든 수양대군은 조카의 왕위를 빼앗은 '찬탈자'로 영원히 역사에 기록될 수밖에 없었다. 수양대군의 즉위와 함께 권력의 핵심이 된 한명회는 그 후 자신의 두 딸을 제8대 예종과 제9대 성종의 왕비로 만들며 강력한 외척 정치의 중심에 우뚝 선다.

연표로 보는 수양대군

1395년	태조 4년, 소헌왕후 탄생
1397년	태조 6년, 세종 탄생
1408년	태종 8년, 세종충녕대군이 소헌왕후심온의 장녀와 가례를 올림
1412년	태종 12년, 정소공주세종과 소헌왕후 장녀 탄생
1414년	태종 14년, 문종세종과 소헌왕후 장남 탄생
1415년	태종 15년, 정의공주세종과 소헌왕후 차녀 탄생
1417년	태종 17년, 수양대군세종과 소헌왕후 차남 탄생
1418년	태종 18년, 성녕대군태종과 원경왕후의 막내아들, 세종의 동생 사망 양녕대군 폐위, 충녕대군 세자 책봉 및 태종의 양위로 제4대 세종으로 즉위 안평대군세종과 소헌왕후 3남 탄생
1420년	세종 2년, 임영대군 탄생세종과 소헌왕후 4남 원경왕후 승하

1421년	세종 3년, 문종 세자 책봉
1422년	세종 4년, 정소공주 사망향년 13세 5월 9일 박은 사망, 5월 10일 태종 승하
1425년	세종 7년, 광평대군 탄생세종과 소헌왕후 5남
1426년	세종 8년, 금성대군세종과 소헌왕후 6남 탄생
1427년	세종 9년, 평원대군세종과 소헌왕후 7남 탄생
1428년	세종 10년, 세종 2남 이유수양대군가 '진평대군'에 봉해짐 세종 3남 이용안평대군이 '안평대군'에 봉해짐 세종 4남 이구임영대군가 '임영대군'에 봉해짐 진평대군수양대군이 윤번의 딸정희왕후과 가례를 올림
1429년	세종 11년, 세자빈 휘빈 김 씨 폐출 봉여의 딸순빈 봉 씨이 순빈세자빈에 봉해짐 〈농사직설현존하는 가장 오래된 농사 지침서〉 찬술
1430년	세종 12년, 〈농사직설〉 2품 이상 관리에게 반포

1433년	세종 15년, 진평대군수양대군이 '함평대군'으로 개봉새로 봉해짐됨 〈향약집성방의학 처방에 사용하는, 조선에서 자라는 약재에 대한 책〉 완성 김종서를 함길도 관찰사로 임명
1434년	세종 16년, 영응대군세종과 소헌왕후 8남 탄생
1437년	세종 19년, 광평대군이 무안대군이성계와 신덕왕후의 장남의 후사가 됨 금성대군이 의안대군이성계와 신덕왕후의 차남의 후사가 됨
1441년	세종 23년, 단종 탄생 및 현덕빈현덕왕후 승하
1442년	세종 24년, 동궁에 첨사원세자의 대리청정을 보좌하는 기관 설치
1443년	세종 25년, 훈민정음 창제
1444년	세종 26년, 광평대군 사망
1445년	세종 27년, 평원대군 사망 함평대군수양대군이 '수양대군'으로 개봉됨 세종이 병세 악화로 연희궁으로 이어함

1446년	세종 28년, 소헌왕후가 수양대군의 집에서 승하 훈민정음 반포
1448년	세종 30년, 단종이 왕세손으로 책봉됨
1449년	세종 31년, 세종이 영응대군 집으로 이어함
1450년	세종 32년, 세종이 영응대군 집에서 승하
1452년	단종 즉위년, 문종 승하. 단종 즉위 수양대군이 안평대군의 측근 이현로를 매질하고 명나라에 사신으로 감 김종서가 좌의정에 임명됨
1453년	단종 1년, 수양대군이 명나라에서 귀국함 계유정난, 김종서 사망, 안평대군 유배 및 사사
1454년	단종 2년, 송현수의 딸이 왕비정순왕후로 간택됨
1455년	수양대군, 단종의 양위를 받아 제7대 세조로 즉위

과거제도 완전 정복1

성리학을 통치이념으로 삼은 조선은 고도로 발달한 관료 제도를 완전하게 구축한 국가였다. 시험을 통해 학문 정도와 실력을 가늠하여 관리를 선발하는 과거제도는 고려 때에 이미 시작되었지만 이를 전문적으로 발달시킨 것은 조선시대였다. 과거제도는 인재를 집중적으로 양성할 수 있고, 시험을 통해 검증된 인재를 발탁하여 국정을 운영한다는 점에서 소수의 권문세족이 권력을 장악했던 고려와 비교했을 때 확실한 차별점이었다.

조상의 공덕으로 과거를 보지 않고 관

직에 나갈 수 있는 혜택을 '음서' 혹은 '문음'이라고 한다. 조선 건국 초기에는 고려와 마찬가지로 공신의 후손들이 '문음'을 통해 관직에 진출하는 경우가 많았다. 하지만 과거제도가 자리를 잡으면서 '조상님 덕분에' 문음으로 관리가 된 이들을 무시하는 경향이 생겨났고 그러다 보니 문음 출신이 관리의 신분으로 과거를 다시 보는 경우가 생겨났다. 그만큼 과거 합격은 조선 사대부들에게 있어 평생의 꿈이자 목표였으며 가문의 영광이기도 했다. 그렇다면 과거 시험은 어떻게 진행되었을까?

문과와 무과
소과와 대과

과거는 크게 문신 관료가 되기 위한 문과, 무신 관료가 되기 위한 무과 그리고 중인계층이 주로 응시하는 기술직으로 의과, 음양과[16] 등이 포함된 잡과로 나눌 수 있다. 이 중 '문과'는 '과거의 꽃'이라고 불릴 만큼 선망의 대상이었다.

문과는 크게 소과와 대과가 있는데 소과는 일종의 예비시험으로 여기에 합격해야만 대과에 응시할 자격이 주어진다. 일단 소과인 생원시나 진사시에 합격했

16) 천문, 지리, 풍수, 관상 등에 능한 사람을 선발하는 잡과

다는 것은 당시 '지식인'이라고 불리던 선비나 사대부에게 요구되는 기본 소양을 갖춘 것을 의미했다. 그래서 생원시나 진사시에 합격한 사람에게는 마치 호칭처럼 '진사님', '생원님'이라고 부르기도 했다. 경주 최 씨 가문에서 후손들에게 내려오는 가훈 중 '벼슬은 진사 이상 하지 말라'는 내용이 있는데 이는 학문을 하되 관료가 되는 것을 목적으로 하지 말라는 당부인 셈이다.

소과는 초시에서 전국적으로 700명을 선발, 초시에 합격한 사람을 대상으로 치러지는 복시에서는 그 중 약 20%에 불과한 150명을 선발했다. 원칙대로라면 복시까지 합격해야 '생원', '진사'라는 호칭이 주어졌으나 조선 후기로 가면서 소과 초시에만 합격해도 생원, 진사로 부를 정도로 호칭이 남발되었다. 드물게 생원과 진사에 모두 합격할 경우 '생진사'라고 불렀는데 대표적인 인물로 율곡 이이가 있다.

향시소과 종류 및 단계별 합격자

<table>
<tr><th>소과종류</th><th>초시 합격자</th><th>복시 합격자</th></tr>
<tr><td>생원시
유교경전 중심</td><td rowspan="2">한성한성시 200명
지방향시 500명
경기도 60명, 경상도 100명
충청도 90명, 전라도 90명
강원도 45명, 평안도 45명
황해도 35명, 함경도 35명</td><td rowspan="2">한성한성시 50명
지방향시 150명
경기도 20명, 경상도 30명
충청도 25명, 전라도 25명
강원도 15명, 평안도 15명
황해도 10명, 함경도 10명</td></tr>
<tr><td>진사시
논술 및 문장 중심</td></tr>
<tr><td>합격자 수</td><td>총 1,400명
진사·생원 각 700명</td><td>총 200명
진사·생원 각 100명
하얀 종이로 만든 합격증서 '백패' 증정</td></tr>
</table>

초시 합격증 '백패'
성균관 입학증서

소과 복시에 합격하면 하얀 종이에 쓰인 합격증 '백패'가 주어졌다. 조선에서 300등 안에 들었음을 증명하는 백패를 받는 것은 대단히 영광스러운 일로 양반으로서 자격을 당당히 갖추게 되었음을 의미했다. 하지만 백패의 진짜 가치는 백패가 '성균관 입학증서'라는 것이었다.

일단 성균관 유생이 되면 학문에만 열중할 수 있도록 학용품과 용돈이 지급되었고 훌륭한 교사들에게 수업받을 수 있었으며 등록금은 아예 없었다. 게다가 삼시 세끼와 잠자리 그리고 세탁과 청소 등을 해주는 심부름꾼까지 제공되었다. 조선에서 성균관에 이토록 공을 들인 이유는 나라의 미래, 교육을 위한 투자였다. 성균관은 세금으로 운영되는 만큼 유생들은 열심히 공부해서 대과에 합격하여 좋은 관리가 되는 것을 목표로 삼아야 했다. 하지만 그것보다 더 중요한 것은 '예비 관리'로서 조정이 돌아가는 상황을 파악하고 인맥을 쌓거나 운이 좋으면 임금을 직접 만날 기회도 있다는 것이었다.

대과의 명칭
식년시, 증광시, 알성시, 중시

<table>
<tr><th>종류</th><th>내용</th><th>응시 대상</th><th>시험 횟수</th></tr>
<tr><td>식년시</td><td>3년에 한 번씩 치르는 정기 시험
식년자, 묘, 오, 유가 들어가는 해
전해 가을에 초시,
식년 봄에 복시를 치름</td><td>문과,
무과,
잡과</td><td rowspan="2">소과초시,
복시
대과초시,
복시, 전시</td></tr>
<tr><td>증광시</td><td>임금의 즉위, 왕세자의 탄생 등 왕실이나 국가에 경사가 있을 때 치르는 비정기 시험</td><td>문과 ,
무과,
잡과</td></tr>
<tr><td>알성시</td><td>봄과 가을, 임금이 성균관 문묘에 참배한 후
성균관 유생을 대상으로 치르는 비정기 시험
단 한 번의 시험으로 합격이 결정된다. 예) 조광조</td><td>문과,
성균관 유생만</td><td>1회</td></tr>
</table>

춘당대시	창경궁 춘당대에서 무재 문재를 겨루던 비정기 시험 처음에는 무과만 치르다가 점차 문과에도 적용	문과, 무과	1회
별시	국가에 경사가 있을 때 실시된 비정기 시험 예고 없이 치러지기 때문에 서울 거주자에게 유리 선발 인원도 그때마다 다름	문과, 무과	소과초시, 복시 대과초시, 복시
외방별시	국왕이 지방에 행차할 때 머무는 행재소에서 치러진 비정기 특별 시험으로 지방 거주자에게 유리	주로 문과	1회
정시	단 한 번의 시험으로 당락이 결정되는 비정기 시험. 주로 제술논술 분야. 합격자는 '전시' 응시 자격 부여	주로 문과	1회
중시	이미 문무과에 급제한 관료들을 대상으로 10년에 한 번씩 치러진 승진을 위한 정기시험	현직 관료	1회

문과 식년시의 경우 정월부터 5월까지 5개월에 걸쳐 치러졌는데 봄에 시험을 치르게 될 경우 농사에 방해가 된다는 주장에 따라 성종3년1472년부터는 매 식년 바로 전 해, 농사가 끝난 가을에 초시를 치르고 식년 봄에 복시와 전시를 치르도록 했다.

문과는 한 번에 합격 여부가 결정되는 것이 아니라 총 5번의 시험을 치른 후 최종 합격과 등수가 결정되었다. 합격 요건이 까다로운 만큼 무과나 잡과에 비하여 시험을 치를 기회도 자주 주어졌는데 알성시, 별시, 정시 등 비정기 시험을 통해서도 합격자가 배출되었다. 이 중 알성시나 정시는 단 한 번의 시험으로 합격자가 결정되었고, 별시는 초시와 복시 두 단계를, 증광시는 식년시와 마찬가지로 초시, 복시, 전시 세 단계를 통해 합격자를 결정했다.

과거제도 완전 정복2

조선의 양반들은 누구나 같은 꿈을 꾸었다. 바로 과거에 합격하여 관료가 되는 것이었다. 이를 '입신양명'이라고 하는데 과거에 합격하여 국가의 녹을 먹는 것은 가문의 영광이자 궁극의 효도이기도 했다. 율곡 이이는 과거에서 무려 9번이나 장원으로 급제하여 '구도장원공'으로 명성을 떨쳤다. 누군가 '왜 그토록 과거 시험에 집착하느냐?'고 묻자 율곡 이이는 '과거 급제에 대한 부모님의 간절한 소망을 이루어드리고 부모님을 맛있는 음식으로 봉양하기 위해서'라고 대답했다. 이처럼 과거에 급제하는 것은 양반들에게는 공식적인 경제활동이기도 했다. 하지만 오늘날에도 명문대에 합격하거나 공무원 시험에 합격하는 일이 드문 것처럼 조선 시대에도 '과거'에 합격하는 것은 매우 힘든 일이었다. 최종 합격까지 적어도 5번소과 초시와 복시, 대과 초시, 복시, 전시의 시험을 치러야 공무원이 될 수 있었던 조선시대의 과거제도는 어떤 구조였을까?

문과[대과] 완정 정복

문과대과 초시는 크게 세 가지로 8도의 관찰사가 주관하는 향시, 한성부에서 주관하는 한성시, 성균관에서 주관하는 관시가 있었다. 향시는 말 그대로 지방의 선비들을 대상으로 했고 한성시는 서울에 거주하는 선비와 당하관 이하의 관리들을 대상으로 했으며 관시는 성균관 유생들이 대상이었다. 문과는 기본적으로 소과에 합격하여 생원이나 진사가 된 사람들을 대상으로 진행되었는데 이들 중에는 추천이나 천거를 통해 이미 관리로 임명된 사람도 있었다. 이런 경우 현직 관리일지라도 응시생의 자격이 주어졌다.

문과 초시는 240명을 선발했고 이들을 대상으로 한 복시에서는 33명만을 선발했다. 즉 초시 합격자의 상위 14%만 복시에 통과할 수 있었다. 복시에 합격한 33명은 다시 대궐에 들어가서 시험을 치렀는데 이것이 문과의 마지막 시험인 전시였다. 전시는 합격과 불합격을 결정하는 것이 아니라 시험성적에 따라 석차등수가 정해졌는데 이때 장원급제자를 결정하는 최종 권한은 임금에게 있었다. 따라서 장원급제자의 경우 관료생활의 시작과 동시에 임금에게 자신의 이름을 알릴 수 있었다.

<table>
<tr><th>대과문과</th><th>초시</th><th>복시</th><th>전시</th></tr>
<tr><td>향시
지방의 유생
생원, 진사</td><td>총 150명
경기도 20명
경상도 30명
충청도 25명
전라도 25명
강원도 15명
평안도 15명
황해도 10명
함경도 10명</td><td rowspan="3">총 33명

붉은 색
종이로 만든
합격증서
'홍패' 증정</td><td rowspan="3">총 33명
복시 합격자 전원
성적 공개

갑과 3명
전체 수석 장원
전체 차석 방안
전체 3등 탐화

을과 7명
4~10등

병과 23명
11~33등</td></tr>
<tr><td>한성시
하급 관리
및
한성 거주
유생</td><td>총 40명</td></tr>
<tr><td>관시
성균관 유생</td><td>총 50명</td></tr>
</table>

모든 선비의 꿈, 장원급제

전시가 끝나면 33명의 등수가 발표되었는데 이중 갑과[17] 1등이 바로 전체 수석 즉 장원급제자였다. 일단 문과대과에 최종 합격하면 그때부터는 성대한 환영연이 열렸다. 합격자들은 경복궁에서 임금에게 사배례를 올린 후 문무백관 앞에서 합격증홍패과 어사화 그리고

17) 건국 초기에는 고려의 과거 제도를 그대로 가져와 을과, 병과, 동진사로 나누었다가 세조 때 최종적으로 갑과, 을과, 병과로 바꾼 후 그대로 정착되었다. 고려 시대 '갑과'라는 말을 사용하지 못한 것은 황제가 있는 원나라의 속국이었기 때문이며, 조선 초기에도 명나라와의 사대 외교 문제로 '갑과'라는 단어를 사용하는데 조심스러웠던 것으로 보인다.

일산을 받았다. 이어서 축하연회가 벌어졌는데 합격자들은 문무 대신들과 함께 술을 마시고 기생과 광대의 공연을 관람했다. 이때 합격자들은 성적순으로 앉아서 누가 장원인지 한 눈에 구분할 수 있었다. 다음날 합격자들은 다시 정식으로 대궐에 나아가 임금에게 감사의 인사를 올리고 셋째 날에는 성균관 문묘에 나아가 공자의 위패에 참배를 하는 알성례를 치렀다.

3일간의 축하연이 끝나고 나면 관직이 제수되었다. 병과 급제자에게는 정9품, 을과 급제자에게는 정8품, 갑과 2등과 3등에게는 정7품의 관직이 내려졌다. 그리고 대망의 장원 급제자에게는 곧바로 종

6품의 관직이 내려졌다. 일반적으로 9품에서 6품으로 승진하려면 약 8~10년이 걸리는 것을 감안했을 때 장원 급제자에게 내려지는 관직은 매우 파격적이었다. 장원은 동기들과 출발선부터가 다른 셈이었다. 장원 중에는 드물게 지방의 현감으로 가는 이도 있지만 주로 육조[18]의 실무직인 '좌랑'에 임용되는 경우가 많았다. 이미 관직이 있는 상황에서 대과에 응시하여 장원을 했을 경우 품계를 더 승진시켰다. 장원 급제자는 관료 생활을 시작한 후에도 순조롭게 승진을 했다.

18) 고려·조선시대 국가의 정무政務를 나누어 맡아보던 여섯 조曹에 대한 총칭. 이조·호조·예조·병조·형조·공조를 일컫는다.

율곡 이이의 전설, 9번의 장원급제

이처럼 과거에 합격하는 것은 매우 어려웠다. 동방의 성현이라 불렸던 퇴계 이황도 소과에 3번이나 낙방하였고 신동이라 불렸던 백사 이항복도 소과에 낙방하여 성균관 유생이 되지 못했다. 이쯤 되면 부정 합격이 아닌가 하는 의문이 든다. 하지만 대단한 학자들이 과거에 낙방하였던 것을 모두 '부정부패에 물든 세상'의 책임으로 돌릴 수는 없다. 학연, 지연, 인맥 없이 실력으로 우뚝 선 인물이 있기 때문이다. 바로 조선 최고의 입시천재로 불리는 율곡 이이다.

가문이나 스승의 후광 없이 독학으로

공부한 율곡 이이는 '외척의 시대'라고 불린 명종 시대에 과거를 치렀음에도 무려 9번이나 장원으로 급제하는 대기록을 세웠다. 율곡 이이는 평생 10번의 과거에 응시하였고 그중 9번 장원을 차지했다. 이는 세계사에서도 찾아보기 힘든 전무후무한 기록이다.

율곡 이이의 첫 번째 장원기록은 13살 때 응시한 진사시소과 초시였다. 문장이 가장 뛰어나서 장원으로 선정하였는데 선정을 하고 나니 나이가 어려 시험관이 깜짝 놀랐다는 이야기가 전설처럼 전해진다. 그로부터 3년 후인 16살 때 다시 정기 시험인 식년시가 실시되었다. 그간 갈고 닦은 학문을 마음껏 발휘하여 합격한다면 첫 번째 장원이 우연한 행운이 아니라는 것을 증명할 수 있었다. 하지만 그 해 어머니 신사임당이 세상을 떠나면서 그는 초상을 치르는 3년 동안 과거에 응시할 수 없었다. 어머니를 잃은 슬픔에 빠진 율곡 이이는 3년 상을 마치자 19살의 나이로 금강산에 들어가 불교에 심취하기도 했다. 하지만 불경보다 유교 경전에서 궁극의 의미를 찾은 율곡은 하산하였고 명종11년 1556년 21살 때 식년시 진사과 복시에서 다시 한 번 장원의 영광을 거머쥔다. 이로써 소과 초시와 복시에 모두 합격한 그는 성균관 입학 자격을 얻었다. 율곡 이이가 성균관에 입학할 당시 선배들은 그가 이단인 불교에 빠졌던 것을 지적하며 입학을 거부했다고 전해진다. 그러나 율곡은 실력으로 이것을 이겨냈다. 성균관에 입학 후 명종13년1558년 실시된 별시[19]에서 다시 한 번 장원을 차지한 것이다. 이때 율곡이 작성한 답안은 지금까지도 학자들 사이에서 회자될 만큼 뛰어나다고 한다.

명종16년1561년, 이이의 아버지 아버지가 이원수가 세상을 떠난다. 아버지의 초상을 치르는 3년 동안 율곡 이이는 과거에 응시하지 못했다. 명종19년1564년 3년상을 마친 율곡은 식년시 소과진사·생원시와 대과초시·복시·전시에 모두 응시하여 무려 7개의 장원을 거머쥐었다. 그리하여

19) 국가 경사가 있을 때 치르는 비정기 시험

율곡 이이는 13살 때 했던 장원, 21살 때 했던 장원까지 포함하여 9번의 과거에서 장원을 차지한 전설이 되었고 '구도장원공'이라는 별명을 얻었다.

ㅏ, 드라마로 만나는 조선의 왕

조선 임금	영화	드라마
ㄷ 이성계 5-1408 ㅓ 1392-1398조선 임금 ㅓ 1398-1400조선 상왕 ㅓ 1400-1408조선 태상왕	〈해적, 바다로 간 산적, 2014〉 〈순수의 시대, 2015〉	〈용의 눈물, 1996-1998〉 〈대풍수, 2012〉 〈정도전, 2014〉 〈하녀들, 2014〉 〈육룡이 나르샤, 2015-2016〉 〈나의 나라, 2019〉
대 태종 이방원 7-1422 ㅓ 1398-1400조선 세자 ㅓ 1400-1418조선 임금 ㅓ 1418-1422조선 상왕	〈나는 왕이로소이다, 2012〉	〈태종 이방원, 2021-2022〉 〈원경, 2025〉
대 세종대왕 7-1450 ㅓ 1418조선 세자 ㅓ 1418-1450조선 임금 **대 문종** 4-1452 ㅓ 1421-1450조선 세자 ㅓ 1450-1452조선 임금	〈나랏말싸미, 2019〉 〈천문, 2019〉	〈대왕 세종, 2008〉 〈뿌리 깊은 나무, 2011〉 〈장영실, 2016〉 〈홍천기, 2021, 퓨전사극〉
대 단종 1-1457 ㅓ 1448-1450조선 왕세손 ㅓ 1450-1452조선 세자 ㅓ 1452-1455조선 임금 **대 세조수양대군** 7-1468 ㅓ 1455-1468조선 임금	〈관상〉 〈광대들, 풍문조작단, 2019〉	〈한명회, 1994〉 〈왕과 비, 1998-2000〉 〈사육신, 2007〉 〈왕과 나, 2007-2008〉 〈공주의 남자, 2011〉 〈인수대비, 2011-2012〉 〈대군-사랑을 그리다, 2018〉

<table>
<tr><th colspan="2">종류소과, 대과</th><th>회수</th><th>응시</th><th>시행</th><th>장원급제</th></tr>
<tr><td rowspan="4">소과[20]
생원·진사
초시합격자
전국 700명
복시합격자
전국 150명
복시합격률
약21%</td><td rowspan="2">진사과</td><td>초시</td><td>명종3년
1548년
명종19년
1564년</td><td rowspan="4">3년에
한 번</td><td>첫 장원
13세
장원29세</td></tr>
<tr><td>복시</td><td>명종11년
1556년
명종19년
1564년</td><td>21세 장원.
29세
유일하게
장원 아님</td></tr>
<tr><td rowspan="2">생원과</td><td>초시</td><td rowspan="2">명종19년
1564년</td><td>장원29세</td></tr>
<tr><td>복시</td><td>장원29세</td></tr>
<tr><td rowspan="5">대과
초시합격자
240명
복시합격자
33명
복시합격률
약13.7%</td><td rowspan="5">식년시
정기시험

증광시
비정기
시험</td><td rowspan="3">초시
21)</td><td>향시
150명 선발</td><td rowspan="5">3년에
한 번</td><td></td></tr>
<tr><td>한성시
40명 선발</td><td>장원29세</td></tr>
<tr><td>관시
50명 선발</td><td></td></tr>
<tr><td>복시</td><td rowspan="2"></td><td>장원29세</td></tr>
<tr><td>전시</td><td>장원29세</td></tr>
<tr><td rowspan="2">별시[22]</td><td></td><td>초시</td><td>명종13년
1558년</td><td rowspan="2">수시</td><td rowspan="2">장원23세</td></tr>
<tr><td></td><td>복시</td><td></td></tr>
</table>

20) 소과의 경우 생원, 진사 중 하나만 최종 합격해도 대과 응시 자격이 주어짐

21) 대과 초시 중 향시는 지방 유생을 대상으로 하며, 한성시는 한양에 있는 유생과 현직 하급 관리들이 대상이고 관시는 성균관 유생을 대상으로 한다.

22) 별시는 국가에 경사가 있을 때 특별히 치르는 비정기 시험

〈한 장면으로 시작하는 조선왕조실록〉 시리즈
역사를 읽는 새로운 방식, 중요한 역사를 만든 그 날의 한 장면부터 시작해 역사 속 인물을 더욱 입체적으로 들여다 봅니다. 왕과 신하, 왕비와 궁녀, 충신과 간신, 사랑과 음모, 전쟁과 개혁까지 조선왕조실록이 기록한 그 날을 재현합니다.

한 장면으로 시작하는 조선왕조실록 3

수양대군, 왕위를 찬탈하다

초판 1쇄 발행 2025년 8월 31일

지은이	조민기
펴낸이	김태영

씽크스마트
경기도 고양시 덕양구 청초로 66
덕은리버워크 지식산업센터 B동 1403호

전화	02-323-5609
홈페이지	www.tsbook.co.kr
블로그	blog.naver.com/ts0651
페이스북	@official.thinksmart
인스타그램	@thinksmart.official
이메일	thinksmart@kakao.com

씽크스마트 더 큰 세상으로 통하는 길

'더 큰 생각으로 통하는 길' 위에서 삶의 지혜를 모아 '인문교양, 자기계발, 자녀교육, 어린이 교양·학습, 정치사회, 취미생활' 등 다양한 분야의 도서를 출간합니다. 바람직한 교육관을 세우고 나다움의 힘을 기르며, 세상에서 소외된 부분을 바라봅니다. 첫 원고부터 책의 완성까지 늘 시대를 읽는 기획으로 책을 만들어, 넓고 깊은 생각으로 세상을 살아갈 수 있는 힘을 드리고자 합니다.

도서출판 큐 더 쓸모 있는 책을 만나다

도서출판 큐는 울퉁불퉁한 현실에서 만나는 다양한 질문과 고민에 답하고자 만든 실용교양 임프린트입니다. 새로운 작가와 독자를 개척하며, 변화하는 세상 속에서 책의 쓸모를 키워갑니다. 홍겹게 춤추듯 시대의 변화에 맞는더 '쓸모 있는 책'을 만들겠습니다.

ISBN 978-89-6529-442-9 (04910)